D1416393

RV sur le blog de Mirette !
http://laurentaudouin.canalblog.com

www.fannyjoly.com

Collection dirigée par Emmanuelle Beulque
© 2013, Éditions Sarbacane, Paris.
www.editions-sarbacane.com
facebook.com/fanpage.editions.sarbacane

Dépôt légal : 2ᵉ semestre 2013 - ISBN : 978-2-84865-623-6
Imprimé en Italie.

Les enquêtes de Mirette

Rumba à Rome

FANNY JOLY   LAURENT AUDOUIN

SARBACANE
DEPUIS 2003

Vautré à l'arrière d'un car tout confort *, le chassistant de la plus grande détective de 8 ans de tous les temps ** bâille à s'en décrocher les babines.

*-Climatisation, WC, sièges inclinables, repose-p
** Il s'appelle Jean-Pat. Elle s'appelle Mir

Le car se gare au sommet du mont Gianicolo. *Che spettacolo !*
Collines, monuments, ruines à perte de vue…
Les voyageurs, Mirette en tête, prennent des photos à gogo.
– Alors Gianni-Patto ? La plus belle ville
du monde est à tes pieds : RO-MA ! lance
la détectivette à son chassistant.

RO-MA !

clic!

clic!

clic!

Mouaif, tu parles.

– Le coup de la plus belle ville du monde, tu me l'as déjà fait avec Venise*.
Je connais Rome, j'ai vu un reportage à la télé… soupire le matou.
– Sauf que là, c'est en VRAI ! Bouge ton popotin, viens voir !
– Pfff, ce que je vois surtout, c'est que je vais louper la nouvelle saison
de *L'AMOUR EN FEU***.
– Tu joues avec mes nerfs. J'te parle plus ! explose Mirette.

* Voir : VENDETTA À VENISE, éditions Sarbacane.
** Ce que Jean-Pat préfère dans la vie, c'est regarder
la télé en dégustant des Choumoullouws, cubes
de guimauve très très mous et très très sucrés.

Les rues autour de la Piazza Navona sont animissimées… mais l'ambiance glacissimée entre nos héros. Mirette tourne et retourne le plan de la ville.

– Tu cherches le chemin ? Tu veux que je t'aide ? propose Jean-Pat.
(17 minutes qu'elle ne lui a pas parlé, il commence à s'inquiéter).
– Non merci !
– Pourquoi tu te sers pas de ton Zécran* ?
– Il a plus de batterie, han han !
– Je te prête le mien, regarde, je l'ai accroché à la MAGNIFIQUE bandoulière que tu m'as cousue à cet effet ! J'suis ton chassistant quand même… fayote le matou.
Mirette s'approche d'un jeune homme en Vespa :

Convento Santa Maria Immacolata, per favore ?

Vittorio est un beau gosse. Il connaît Rome comme sa poche et parle français comme un veau espagnol.
– *Té invito per oune caffè, mamazelle ?* glisse-t-il à la détectivette avec sa carte de visite**.

Appella mi Vitto…

Grazie mille Vittorio !

Jipé lève les yeux au ciel. Le tour que prennent les événements lui déplaît fortement. Il refuse toute consommation (signe qu'il est de fort mauvais poil) et finit par griffonner (au dos de la carte de visite) ce message à destination de sa patronne :

T'es venue pour ENQUÊTER, ou pour DRAGUER ?

* Super Zécran Tactile Détecteur Flaireur Webphone Connektik Multi-Fonctions. Mirette et Jean-Pat en sont tous deux équipés.
** Laquelle carte indique que Vitto exerce la profession de Taxi-Vespa et parle (mal) français.

Le jour décline lorsque la Vespa droppe nos
amis à l'adresse indiquée.
– Fais pas cette tête de gnocchi, lance Mirette à son chat,
si j'ai accepté de monter sur la Vespa, c'est pour te faire plaisir !
– Si tu veux me faire
plaisir, promets-moi
qu'on ne reverra
jamais ce CRÉTIN
MOTORISÉ !

– OK, mais tu me promets d'arrêter de râler.

– Jusqu'à quand ?

– Qu'on rentre à Paris.

– C'est QUAND ?

– Ça dépendra si on est bons !

– Pfff… encore une arnaque ! peste muettement le chassistant.

Mirette sonne à une haute porte.

– Tu fais quoi ?

– C'est ici qu'on dort !

– Hé mais… y a pas marqué Hôtel !?

Shhhttt ! La porte s'ouvre. Une petite nonne au large sourire apparaît :

Sono Sorella Bénita.

Dès qu'elle aperçoit Jean-Pat, elle le couvre de caresses :
– *Buongiorno Gattino ! Che bello, sei divino**** !
La religieuse ne parle pas français. Elle conduit nos amis
à leur chambre et leur remet une copie du règlement ******
+ 1 sac-kraft de bienvenue contenant :
• Cierges : 2 • Livres de prières : 2 • Fioles
d'eau bénite : 2 • Biscottes de fabrication
maison : 2 paquets de 222.

Elle a de la moustache, ça pique !

Çui qui dit qui y est !

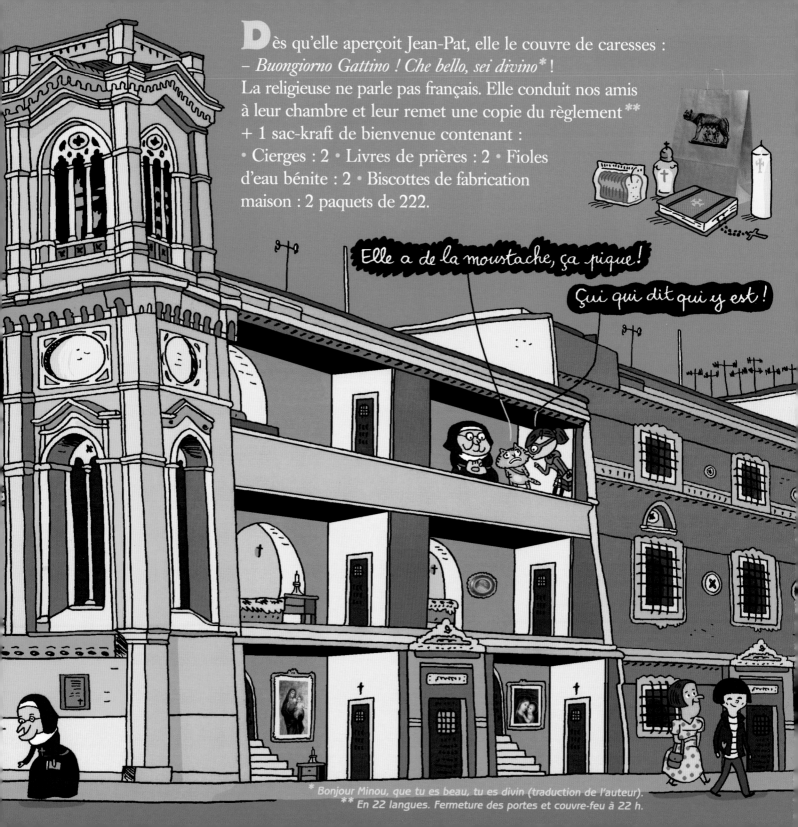

* *Bonjour Minou, que tu es beau, tu es divin (traduction de l'auteur).*
** *En 22 langues. Fermeture des portes et couvre-feu à 22 h.*

Onze heures sonnent quand le duo arrive

Piazza della Minerva !

– Tu vois l'éléphant sous l'Obélisque* ? Y a une enveloppe pour moi derrière sa défense droite. Grimpes-y et rapporte ! ordonne Mirette.

Jean-Pat croit à une blague.

– J'ai l'air de blaguer ? s'impatiente la détectivette.

– Et mon vertige ? argue le matou.

– Fonce ou j'appelle Vitto, il fera moins d'histoires, LUI !
Le chassistant s'efforce de rire... (*ha ha tu veux prendre ce CRÉTIN comme chassistant ? Bonne chance !*)... mais s'exécute prestement.

* *Obélisque égyptien (600 avt J.C.) posé sur un éléphant en marbre sculpté par Le Bernin (1655).*

Le pli contient un message en lettres découpées, reproduit ci-dessus :

uelques clics de Zécrans* plus tard, nos amis filent vers ledit Palazzo Grazioli. La détectivette est au taquet :

Une VRAIE enquête avec coupable et RÉCOMPENSE, c'est d'la BOMBA !

...VRR VRRR...VARRR

Le chassistant l'est nettement moins (au taquet) :
– C'est QUI ton client, au juste ?
Mirette ne l'a eu qu'au téléphone. Son numéro était masqué : il veut rester incognito.
– *Récompense éternelle* ! grince le chat. Il nous prend pour des cornichons ! Fallait exiger récompense cash payable d'avance !
– Calme-toi. Et d'abord, *cornicione* ça veut dire corniche, je te ferai savoir.

Sur place, à l'angle d'une corniche en effet, une statue sans tête.
Stupeur : il s'agit... d'un CHAT !
– Ça sent le traquenard... recule Jean-Pat.
Mirette l'arrête, nette et grave :
– STOP. Moment de vérité ! Si on a été appelés sur cette affaire, c'est grâce à nos exploits passés certes, mais aussi et peut-être SURTOUT parce que tu es un CHAS-SISTANT. Le client mise sur le flair félin. La police locale n'a aucune piste. Si tu te dégonfles, toi et moi, on divorce. Tu choisis quoi ? Banco ? Ou CIAO à jamais ?
Jean-Patrick** est ébranlé. La patronne n'a pas l'air de plaisanter :
– Bon... ben... ban... banco !
– À la bonne heure, sourit Mirette en lui tendant sa mallette d'intervention.
Hop hop ! Tu montes ! Tu inspectes ! Tu renifles ! Tu prends des photos !
Je veux la collecte d'indices la plus PRO del mondo ! Capito ?
Et qu'ça saute ! Debriefing au forum dans 10 minutes !

* *Fonction dico-traducti[on]*
** *Prénom complet de Jean-P[atrick]*
en hommage à Jean-Pat[rick]
Lelièvre, grand-oncle de Miret[te]
célèbre détective du siècle der[nier]

15 h. Assis parmi les ruines antiques, le duo examine la collecte : yaourt vide, chewing-gum mâché, mégot, capsule, tong déchiquetée, peau de banane, pile rouillée, débris d'assiette, cannette aplatie, fleur fanée… Mirette ne cache pas sa déception :

– T'appelles ça des indices ? Moi j'appelle ça une POUBELLE !

– Tu t'attendais à quoi ? La carte d'identité du coupable ?

À force d'inspecter les photos du Zécran de Jean-Pat, Mirette repère une inscription sur le socle de la statue. Elle met les yeux (de lynx) du chassistant à contribution. Il déchiffre :

$$D_5G_1T_{20}I_{26}A_{20}O_{18}$$

Y a sûrement un code, il suffit de le trouver !

Cherche, toi ! Moi, j'peux pas, ça me donne la migraine !

Mirette couvre une feuille d'hypothèses.
Puis une deuxième… Jean-Pat bâille,
mange un Choumoullouw,
se gratte, re-bâille, s'étire,
en mange un deuxième,
puis finit par s'éloigner,
museau au vent…

Il les suit… jusqu'à un sac-à-patates pendu au sommet d'un temple en ruines. Le sac gigote. C'est reparti pour 1 vertigineuse ascension (jamais 2 sans 3). Du sac, Jean-Pat extrait une prisonnière – et quelle prisonnière : une chatte d'une beauté sauvage, 100 % rousse, 100 % hirsute, qui lui saute au cou :

> *Tu m'as sauvée, gros chat ! Je ferai ce que tu voudras !*

Gros n'emballe guère notre ami mais pas question de râler. La belle a-t-elle mal quelque part ? s'inquiète-t-il galamment. Elle a FAIM. Il dégaine un Choumoullouw. Elle l'engloutit et s'écrie :
– Un régal, ces bonbons au TIRAMICHOUM !
– Tiramichoum ! Késako ?
tilte le gourmand.
– Comment ? bondit la rouquine, tu ne connais pas ce sublime dessert à base de Mascarpone, biscuits et cubes de guimauve très très mous et très très sucrés ? Suis-moi, tu vas voir ce que tu vas voir, gros (bis) minou !

Soudain, l'ouïe ultra-fine du chassistant capte de curieux miaulements.

Miaouu...
Miaouuu...
Miaouuu...

Le chassistant suit la belle jusqu'à l'arrière-cuisine d'une pâtisserie, où elle lui fait découvrir le fameux Tiramichoum. *Sublime* : le mot est faible. Entre 2 bouchées, ils parlent[*]. Elle se nomme L'Arruffata, LARUF pour les intimes[**]. Elle est chef de la Colonie des Chats du Forum Romain. 187 félins répertoriés. Hélas, moins depuis janvier. 18 collègues ont disparu.

– Sans toi, j'aurais connu le même sort ! déclare-t-elle à son sauveur.

Jean-Pat fait le modeste mais James Bond n'est pas son cousin. Il se présente : Détective Français en Mission Secrète. Laruf est impressionnée. Le chassistant l'interroge : lors de son enlèvement, a-t-elle remarqué quelque chose ? Rien. Il insiste. Elle se concentre. Peut-être… un tissu gris… ou… noir ? Le matou tortille ses moustaches :

– Mmmmhhh… Intéressant… TRRRÈS zintéressant…

Soudain, Laruf regarde par la fenêtre :

– Hééé ! le soleil baisse, j'ai RUMBA-PARTY moi !

– Roum-quoi ? s'étrangle le matou.

La belle s'explique. Passionnée de danse latino, elle organise le 1er samedi de chaque mois une sauterie au soleil couchant pour TOUS les chats sauvages de Rome. C'est dans moins d'une heure.

– Viens, je t'invite, caramba tcha tcha ! lance-t-elle avec une série de déhanchements tout à fait fascinants.

Jean-Pat est tenté mais… et Mirette ? Bah, si elle s'inquiète, elle l'appellera sur son Zécran… Oups !

Impossible : le Zécran en question, c'est ELLE qui l'a ! Méga-stress. Il doit partir. Le devoir l'appelle.

– Quand te reverrai-je ? se désole la sauvage.

– Euh…

Laruf chipe une boule à thé, s'approche de Jipé, lui arrache une touffe de poils (douleur extrême, mais James Bond ne DOIT pas pleurer), enferme la touffe dans la boule et s'accroche la boule autour du cou.

Avec ça, pas besoin de GPS… ouille !

…je te retrouverai au bout du monde !

Capitole, Colisée, Panthéon : le chassistant file comme le vent le long de quelques-uns des incontournables monuments* de la Ville Éternelle… Le Tiramichoum danse la rumba dans son estomac. Lorsqu'il arrive au Convento, la nuit est noire et la porte fermée.
Qu'à cela ne tienne (jamais 3 sans 4), Jean-Pat escalade la façade.
Dans la chambre-cellule, Mirette travaille, entourée d'un nombre incalculable de feuilles d'essais de décodage de D5GIT2OI26A2OOI8.
Elle gronde James-Bond-Pat comme un gamin,
terminant par ces mots :

Rumba...
grumbll...

Au lit ! Sans même une biscotte !

* À visiter absolument.

5 heures du matin … le soleil se lève.

Jean-Pat ne dort pas. Face à la fenêtre, crayon et feuille en main, il gamberge sur D5GIT2OI26A2OOI8. Soudain, le chat a un choc : une nonne court au milieu de la rue, un gros sac-à-patates sur le dos.

Mirette !

Jipé secoue sa patronne :

J'suis peut-être naze, mais j'ai un scoop : Sœur-Marie-Moustache est dans le coup !

Hmmm…

La détectivette oublie ses griefs. Le duo explore les couloirs du couvent. Des noms sont marqués sur des portes. Sorella Rita, Lucia, Teresa… eurêka : Benita ! Ils entrent sur la pointe des pieds/pattes. Une odeur de poubelle les prend à la gorge. Pas étonnant : des seaux pleins de restes de nourriture sont alignés le long des murs. Se frayant un passage entre les nombreuses chaussettes qui sèchent sur des fils, le duo s'approche du lit. La Sorella dort, sa longue tignasse étalée sur l'oreiller.
– Super, ton scoop, Inspecteur-Jean-Pat ! ricane Mirette.
C'est alors qu'on gratte au carreau… LARUF ! Le matou se précipite. Conciliabule félin haletant.

– Au fait, ton code, je l'ai décrypté ! lâche le matou en sortant la feuille reproduite ci-dessous.

Mirette pianote fébrilement sur son Zécran. Elle envoie un texto à Vitto. La réponse tombe sans tarder : ARRIVO ! Laruf découvre le Zécran qui l'hypnotise totalement.

Pendant ce temps, la nonne va chercher trois pierres cachées sous un banc. *Préméditation !* note Mirette. Puis elle (la nonne) ouvre son sac-à-patates, y glisse les pierres, referme, hisse le sac au bord de la fontaine, le pousse, le lâche… et s'enfuit. Dès que la criminelle est hors de vue, nos amis plongent, sortent le sac, l'ouvrent. Sept membres de la Colonie des Chats du Forum Romain en jaillissent, aussi trempés que tremblants *. Après de rapides congratulations, Laruf prend la tête de la meute :

– C'est pas le tout, sus à la noyeuse !

Vroum vroum. Bruit de Vespa. Voici Vitto.

– *Ecco, avanti !* clame James-Bond-Pat.

* Il s'agit de : La Sardine, Riri, Le Borgne, Marilyn, Julius, Tête de Genou et Claudia.

Piazza di Spagna

VRRROOOUM...

La Vespa suit la nonne (de loin). Celle-ci se dirige vers la Cité du Vatican et la Basilique Saint Pierre *.

– Ça veut dire quoi, DEGATTIZATOR ? demande Mirette à Vitto au détour de la Via Paolo VI.

Le beau gosse fait des yeux ronds. Il ne pige même pas la question.

Laruf traduit à l'oreille de Jean-Pat :

– Ça veut dire TUEUR DE CHATS, comme dératisateur pour les rats.

Mirette pince le dos du conducteur : la criminelle vient de disparaître au bout d'une ruelle. Vitto coupe le moteur. Les 11 s'engouffrent derrière elle.

Centre du Christianisme et siège de la Papauté.

Grâce aux Zécrans*, nos amis pistent la noyeuse jusqu'aux grottes du Vatican, à travers un impressionnant labyrinthe de couloirs, tombes, escaliers, dédales…

Ma qué... Tou la vois ? Elle est partie par là !

*Mode détecteur-flaireur.

À la faveur d'un cul-de-sac,
ils réussissent à la coincer.
Mieux : à la maîtriser.
Encore mieux : à la ficeler.

Hééé! Soeur-Marie-Moustache!

À côté du portrait de la (vraie) nonne, LA TÊTE DE LA STATUE du Palazzo Grazioli est posée sur une stèle. Le coupable passe aux aveux. Nom : Tortelli. Prénom : Glauco. Il est le cousin de Benita. Il hait les chats. Il veut les éliminer de Rome. Tous. Jusqu'au dernier. DEGATTIZATOR, c'est lui.

Je la reconnais, c'est la plus TOP des GATTARE* de la colonie du Forum !

* *Nom donné aux amoureux de la race féline qui nourrissent et soignent les chats de Rome...*

La Gazzetta di Roma

Tuttoilrosa 🌐 della vita

Règlement de compte à Vatican-City

L'affreux Glauco Tortelli, auto-proclamé *Degattizator* (voir notre édition d'hier) exerçait (jusqu'à hier) la noble profession de Garde Pontifical. Une question est sur toutes les lèvres : pourquoi s'en est-il pris AUSSI à la statue du Palazzo Grazioli ? La réponse est, hélas, banale : drame de la jalousie. Cette statue, en effet, fut érigée en hommage au chat qui sauva un garçonnet en danger sur le rebord de la corniche. Comment ? Le chat miaula pour attirer l'attention de la maman alors que l'enfant allait tomber dans le vide. Or ce garçonnet n'était autre que... Giuseppe Tortelli, arrière-grand-oncle du coupable et arrière-grand-père de sa cousine, plus connue sous le nom de Sorella Benita, Supérieure du Convento Santa Maria Immacolata et infatigable *gattara*. Devenu adulte, Giuseppe fit fortune, suscitant la haine et l'envie au sein de la famille. Nous tenons à préciser que le Service *Communicazione* du Vatican n'a pas souhaité répondre à nos questions.

Miaou !

Mirette braque une torche dans sa face. Jean-Pat et Laruf arrachent son voile. Stupeur : la nonne est un gros quinquagénaire. Sous la menace, celui-ci les conduit à son antre : une caverne remplie de chats morts et vivants, enfermés dans des cages, attachés à des boulets maintenus par des fers.

Le lendemain, le mystérieux client se découvre enfin. Il s'agit de PADRE PIPPO, curé voisin et admirateur de Benita. Il a commandité l'enquête par… affection pour celle-ci. Jean-Pat piaffe autour du religieux :

– Et notre RICOMPENSA ETERNA ? C'est quoi ? C'est quoi ?

Le Padre répond par un long sermon que Laruf traduit en 4 mots :

– Deux places au paradis.

– Trop facile ! Pas assez concret ! Je veux un casque de Garde Pontif' ! proteste le matou à l'oreille de Mirette.

Gênée, mais d'accord sur le fond, la détectivette transmet. Exaucé !

– Tu vois, suffit de demander ! Vas-y ! Réclame un VRAI truc ! Alleeeez ! insiste le chat.

Gênée, mais d'accord sur le fond (bis), la détectivette obtempère.

Le Padre se creuse la tête. Il connaît le Directeur du Museo Criminologico de Rome. Il pourrait peut-être obtenir une plaque pour la détectivette française et son chassistant ?

– ALLÉLUIA ! Ce serait le PARADIS ! laisse échapper la fillette.

Pour fêter ces bonnes nouvelles, Laruf organise une RUMBA PARTY PRIVÉE. Pippo danse avec Benita. Mirette avec Vitto. Jean-Pat avec Laruf (logico). Quelques chats sauvages bien informés tapent l'incruste, mais ça reste discret…